Goethe

Das Leben des Dichterfürsten J. W. v. Goethe erzählt als Comic Strip - eine verwegene Idee? Was würde Goethe dazu sagen?

Johann Wolfgang von Goethe wusste lange vor Beginn des medialen Zeitalters, wie sehr Bilder unser Erleben und Verstehen intensivieren können.

Er war im hohen Alter ein enthusiastischer Leser von Rodolphe Töpffers Bildergeschichten und lobte die erzählende Literatur mit Bildern. Seine Maxime: "Wir reden zuviel, wir sollten weniger sprechen und mehr zeichnen" wurde Mitte des vorigen Jahrhunderts ins Titelblatt der Zeitschrift des Musée Français-Anglais aufgenommen.

Wir hoffen, dass dieser Comic neugierig macht auf Leben und Werk eines Mannes, der vor zweieinhalb Jahrhunderten geboren wurde und uns allen heute noch viel zu sagen und zeigen hat.

Zum Sehen geboren ist das Motiv unserer Einladung, auf unkonventionelle Weise sich mit einem der bedeutendsten Dichter und Denker der deutschen Geschichte vertraut zu machen.

Hilmar Hoffmann, Präsident des Goethe-Instituts

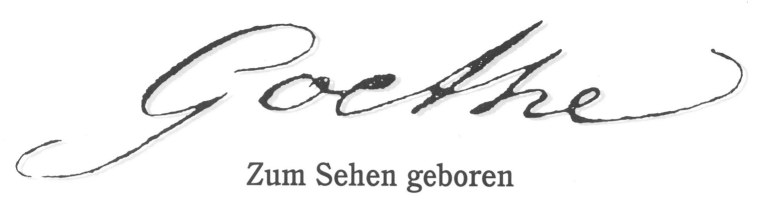

Zum Sehen geboren

Text: Friedemann Bedürftig
Zeichnungen: Christoph Kirsch

Inhalt des ersten Bandes

**Das zweibändige Werk: Goethe – Die Comic-Biographie
wurde in Kooperation zwischen dem Goethe-Institut
und dem Egmont Ehapa Verlag realisiert**

Originalausgabe

Zweite korrigierte Auflage 1999
EHAPA COMIC COLLECTION · 70146 Stuttgart
Chefredaktion und verantwortlich für diese Ausgabe: Michael F. Walz
Chefredaktion Trendthemen: Georg F.W. Tempel
Redaktion Dokumentationsseiten: Friedemann Bedürftig und Willi Johanns
Satz und Lettering: Fotosatz Egmont Ehapa und Yannick Fallek
Einbandgestaltung: Reinhard Kleist
Gestaltung: Wolfgang Keller
Buchherstellung: Andreas Jakob und Agnès Borie
© EGMONT EHAPA VERLAG GMBH, Stuttgart und
GOETHE-INSTITUT e.V. München 1999 -
von Friedemann Bedürftig und Christoph Kirsch
Druck und Verarbeitung: Sebald-Sachsendruck, Plauen
ISBN 3-7704-1749-6

Gedruckt auf chlorfreiem Papier

Idee für Vermarktung und Merchandising
eli – eine lose idee GmbH, Frankfurt
Jörg Schleyer Communications, Stuttgart

Egal was Sie sammeln, hier werden Sie fündig:
http://www.goethe-comic.de
http://www.funonline.de
http://www.goethe.de

Weit, hoch, herrlich der Blick
Rings ins Leben hinein!

„Am 28. August 1749, mittags mit dem Glockenschlage zwölf, kam ich in Frankfurt am Main auf die Welt." So Goethe selbst in seinen Lebenserinnerungen „Dichtung und Wahrheit". Die Geburt ist schwer, nicht nur die Mutter leidet, auch der Vater wartet nervös auf den ersten Schrei des Sohnes. Er wird in ein begütertes Bürgerhaus geboren.

Rätin, er lebt!

Sorglos wächst Johann Wolfgang auf. Seine anderthalb Jahre jüngere Schwester Cornelia und er spielen daheim oder bei den Großeltern Textor im großen Garten. Dem Großvater gilt das erste selbstgemachte Gedicht des siebenjährigen Goethe zum Neujahrstag 1757

Erhabner Großpapa!
Ein neues Jahr
erscheint,
Drum muß ich meine
Pflicht und Schuldigkeit
entrichten,
Die Ehrfurcht heißt
mich hier aus reinem
Herzen dichten.

Der wohlhabende Vater Goethe geht keinem Beruf nach. Seine Kinder unterichtet er selbst oder lässt Hauslehrer kommen. In seiner Bibliothek stehen viele Bildbände. Besonders gern zeigt er die über Italien, wo er als junger Mann war.

Mein Diener, sag an, was für ein Geist bist du?

Mein Herr Faust, ich bin ein fliegender Geist, unter dem Himmel regierend.

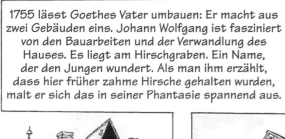

Der kleine Johann Wolfgang bekommt von der im gleichen Haus wohnenden Oma Goethe zu Weihnachten ein Puppentheater. Mit seiner Schwester spielt er den Erwachsenen etwas vor. Es ist auch schon die Geschichte dabei vom Doktor Faust, der seine Seele dem Teufel verkauft.

1755 lässt Goethes Vater umbauen: Er macht aus zwei Gebäuden eins. Johann Wolfgang ist fasziniert von den Bauarbeiten und der Verwandlung des Hauses. Es liegt am Hirschgraben. Ein Name, der den Jungen wundert. Als man ihm erzählt, dass hier früher zahme Hirsche gehalten wurden, malt er sich das in seiner Phantasie spannend aus.

Nicht fromm, aber doch kirchlich werden die Goethe-Kinder erzogen. Sie lernen: Gott ist gütig und behütet uns. Da kommt Ende 1755 die Nachricht, dass ein Erdbeben die Stadt Lissabon völlig vernichtet und 30 000 Menschen in den Tod gerissen hat. Warum ist Gott so böse? Goethe quälen erste religiöse Zweifel.

Ein Musterknabe ist Goethe nicht. Die Eltern werden sich kaum gefreut haben über die zerdepperten Teller und Tassen. Bei den wenigen Besuchen in der Schule ist Johann Wolfgang aber doch eher gegen gemeine Streiche.

Noch mehr, noch mehr!

Das darfst du nicht, Max. Laß das bleiben!

Zwischen Österreich und Preußen ist 1757 Krieg ausgebrochen. Darüber gibt es bei Goethes Streit. Der Vater ist ein Verehrer von Preußenkönig Friedrich, während der Großvater für die Österreicher und ihre Königin ist.

Die Preußen haben wieder gesiegt. Habt ihr's gelesen? Friedrich wird es den Österreichern schon zeigen!

Maria Theresia ist nur eine Frau, aber sie hat große Feldherren und starke Verbündete.

1759 besetzen die mit Österreich verbündeten Franzosen Goethes Heimatstadt Frankfurt. Ein Offizier wird bei der Familie einquartiert. Der Vater behandelt ihn abweisend. Die Kinder aber finden ihn und die Leute spannend, die zu ihm kommen. Es sind Künstler dabei, die Bilder für ihn malen. Mehr noch lieben Johann Wolfgang und Cornelia das Theater, wohin sie der Gast oft mitnimmt.

Adieu, Marie, Adieu !

Mit seinen Freunden erkundet Goethe die Stadt. Gern schauen sie zu, wie am Fluß die Schiffe anlegen, spazieren über die große Brücke, mischen sich unter die Leute auf dem Platz vor dem Rathaus, laufen den Gang auf der Stadtmauer entlang und bewundern die Gärten. In der Katharinenkirche wird Johann Wolfgang konfirmiert.

Verbotenes lockt. Goethe lässt sich heimlich einen Nachschlüssel für das Elternhaus machen, damit er abends raus kann. Dann schleicht er ins Wirtshaus, wo er zweifelhaften Freunden mit seinen Gedichten imponieren will. Schreiben macht ihm große Freude. Einige Verse widmet er einer hübschen Kellnerin, seiner ersten Liebe, mit der er sich als Sohn aus vornehmer Familie eigentlich nicht sehen lassen darf.

Welch ungewöhnliches Getümmel! Ein Jauchzen tönet durch den Himmel. Ein großes Heer zieht herrlich fort.

Es hat der Autor, wenn er schreibt, So was Gewisses, das ihn treibt.

Brauchst dich nicht zu verstecken. Hier kennt dich doch keiner.

Am 3. April 1764 erlebt Frankfurt einen gesellschaftlichen Höhepunkt. Joseph II. kommt in die Stadt, wo traditionell die Kaiserkrönungen stattfinden. Das farbenprächtige Schauspiel beeindruckt alle tief.

Vater Goethe achtet sehr darauf, dass der Sohn nicht nur in der Gegend herumstreunt, sondern eine solide Ausbildung erhält. Dazu gehört auch die Bildung des Körpers durch Reit-, Fecht- und Schwimmunterricht.

Ruhig durchatmen!

Ausfallschritt!

Die Zügel nicht so fest!

Besonders im Gedächtnis bleibt Goethe ein Konzert des siebenjährigen Wunderkindes Wolfgang Amadeus Mozart in dieser Zeit in Frankfurt.

Ich fuhr mit Vergnügen ab und ließ die werte Stadt, die mich geboren und erzogen, gleichgültig hinter mir, als wenn ich sie nie wieder betreten wollte.

Bitte zurücktreten, meine Herrschaften!

Hinaus ins Leben – und gleich eine Panne: Die Reisenden müssen die Kutsche aus dem Graben wuchten. Goethe zieht sich dabei eine Zerrung zu. Der 16jährige Johann Wolfgang will in Leipzig studieren, auf Wunsch des Vaters soll er Anwalt werden.

»Klein-Paris« nennen die Leipziger liebevoll ihre Stadt. Ihre Messen ziehen Menschen aus aller Herren Länder an. Der Frankfurter Student kommt aus dem Staunen kaum heraus.

Hüh!

Greifen Sie zu!

Frische Ware !

Wohlhabend, wie Goethe ist, muss er nicht in einer der sehr einfachen Studentenbuden wohnen. Er kann sich mehrere Zimmer in dem prächtigen Gebäude »Zur Feuerkugel« leisten. Seiner Schwester schreibt er darüber nach Hause.

Wenn du mich jetzt in meiner Stube sehen könntest, du würdest erstaunt ausrufen: So ordentlich, Bruder !

Der Student Goethe wird überall gastlich aufgenommen. Zu Mittag isst er oft im Kreis einiger Mediziner und lernt dabei eine Menge.

Alles eine Frage der Körpersäfte, Herr Kollege.

Nun, die Anatomie zählt wohl auch.

Käthchen, die Tochter des Hauses Schönkopf ist in Leipzig Johann Wolfgangs große Liebe. Ihr trägt er Lieder und Gedichte vor, die er in einem Buch sammelt. »Annette« nennt er es.

An meines Mädchens Seite sitz ich, ihr Aug spricht Lust, und unter neid'scher Seide steigt fühlbar ihre Brust.

Goethe ist ein Theaterbegeisterter. Er sieht sich alle neuen Stücke an, auch »Minna von Barnhelm« von Lessing. Das Drama rührt mit seinen Eifersuchts- und Versöhnungsszenen den verliebten Studenten.

Umarmen Sie Ihre Minna, Ihre glückliche Minna !

O boshafter Engel ! – mich so zu quälen.

Oft drückt sich Goethe vor den juristischen Vorlesungen und hört lieber dem berühmten Fabeldichter Gellert zu. Der sorgt zunächst einmal dafür, dass die Studenten sauber schreiben.

Eine gute Hand zieht einen guten Stil nach sich.

Goethe verbringt viel Zeit im Atelier des Kunstprofessors Adam Oeser. Von ihm lernt er, dass es In der Kunst auf die »edle Einfalt und stille Größe« wie bei den Griechen ankommt.

Die Statuen und Bildwerke der Alten sind die Grundlage aller Kunst.

Johann Wolfgang trinkt gerne Wein in dem beliebten Leipziger Lokal »Auerbachs Keller«. Dort begegnet ihm wieder die Faust-Sage, die er schon als Puppenspiel kennengelernt hat.

Riegel auf! Die Liebste wacht!

Weißt du, dass hier der Doktor Faust schon gebechert hat? Als der Wirt…

…ein Fass nicht die Treppe hinauf kriegte, hat sich Faust drauf gesetzt und ist mit der Tonne die Treppe raufgeritten.

Im Sommer 1768 wird der Student sehr krank. Er hustet Blut. Die Freunde und vor allem die Freundinnen kümmern sich rührend um ihn. Sie lesen ihm aus seinem gerade fertig gewordenen Stück »Die Laune des Verliebten« vor.

O Freundin, konntest du mir meinen Freund verführen!

Getrost, mein gutes Kind, du sollst ihn nicht verlieren.

An seinem 19. Geburtstag verlässt der kranke Goethe Leipzig und kehrt zurück zu den Eltern. Dort hat er bessere Pflege. Der Vater schaut allerdings bedenklich drein, weil der Sohn die gewünschten Studien vernachlässigt hat.

Wie sieht denn mein Hätschelhans aus! Wir werden dich schon wieder zu Kräften bringen!

Erkrankung

Johann Wolfgangs kirchliche Verbindung ist in der Studentenzeit fast ganz abgerissen. Sein Glaube aber erwacht in der Zeit der Krankheit wieder. Dabei spielt eine fromme Frau, Freundin der Mutter, eine wichtige Rolle. Der junge Mann findet zwar nicht zurück zur Kirche. Doch Gott entdeckt er für sich wieder: in der herrlichen Natur als seiner Schöpfung.

Närrischer Bursche! Deine Krankheit ist eine geistliche! Du musst zu Gott heimfinden, dich mit ihm versöhnen.

Mancher verachtet das leichte einfältige Buch der Natur; und es ist doch nichts wahr als was einfältig ist.

Eine derbe Komödie hat Goethe schon in Leipzig begonnen. Er vollendet sie nun in der ruhigen Zeit der Genesung. Sie heißt »Die Mitschuldigen«, und es geht um Gaunereien. Die Schlußverse sagen: Wie du mir, so ich dir.

In Summa nehmen Sie's nur nicht so gar genau: Ich stahl dem Herrn sein Geld, und er mir meine Frau.

Nicht nur die Geheimnisse des Glaubens bespricht der junge Goethe mit der mütterlichen Freundin. Sie machen auch zusammen chemische Experimente. Wie in ihrem Labor wird es später in Goethes Drama »Faust« in einigen Szenen zugehen.

Ich glaube wir geben noch etwas Erde zu, das kräftigt den Kieselsaft.

Endlich wieder gesund! Goethe geht nach Straßburg, sein Studium zu beenden. Tief beeindruckt ihn das himmelhohe Münster. Er schreibt darüber den Aufsatz: »Von deutscher Baukunst«.

„Wie das festgegründete ungeheure Gebäude sich leicht in die Luft hebt; wie durchbrochen alles, und doch für die Ewigkeit"

Goethe zieht – so würde man heute sagen – in eine Wohngemeinschaft und lernt Johann Gottfried Herder kennen. Der ein paar Jahre ältere künftige Pastor sammelt Volkslieder. Er rät Goethe, auf ihren Klang zu horchen. Diese Lieder sind für ihn die Keime jeder Dichtung.

So ist's mit jeder Kunst: Sie keimt, blüht auf und verblüht. So ist's auch mit der Sprache.

Der angehende Jurist und Dichter Goethe ist sehr lärmempfindlich. Zur Abhärtung zwingt er sich, einen schmetternden Spielmannszug zu begleiten. – Auch schwindlig wird ihm leicht. Dagegen unternimmt er Mutproben auf dem Kirchturm und tritt hinaus auf eine Plattform ganz oben. – Seine Furcht vor der Finsternis bekämpft er durch spätabendliche Besuche auf einem schaurigen Friedhof.

Mit einem Freund erkundet Goethe die Umgebung der Stadt. Bei herrlichem Wetter reiten sie am Rhein entlang. Goethe hat sich auffällig kostümiert und unterhält den Begleiter mit lustigen Posen.

Schaue ich nicht aus wie ein lateinischer Reiter?

Ha, ha !

Eines Tages kommt Goethe bei seinen Ausritten in das Dorf Sesenheim. Dort lernt er den Pastor Brion und dessen Tochter Friederike kennen. Er verliebt sich in das lustige Mädchen. Nun ist er ständig zu Gast im Pfarrhaus, wandert mit Friederike und tollt mit ihr in der herrlichen Natur.

Sie wundern sich vielleicht: In einem so reichen Dorf ein so altes Haus für den Pastor. Seit Jahren soll es umgebaut werden.

Da bist du ja endlich, du Rumtreiberin. Schau, wir haben Besuch.

Guten Tag. Verzeih, Vater. Ich war beim Onkel. Er ist aus der Stadt zurück.

Und Sie, Sie kommen doch sicher auch aus der Stadt?

Die Liebe gibt Goethe jubelnde Verse ein. Darunter auch das »Mailied«, das er Friederike widmet und in den Sonnenschein singt.

O Mädchen, Mädchen, Wie lieb ich dich! Wie blickt dein Auge! Wie liebst du mich!

„Wie herrlich leuchtet Mir die Natur! Wie glänzt die Sonne! Wie lacht die Flur!"

Kleine Blumen, Kleine Blätter Gute junge Frühlingsgötter Streuen mir mit leichter Hand Tändelnd auf ein luftig Band.

Am 7. August 1771 verlässt Goethe Friederike ohne Erklärung. Schuldgefühle quälen ihn noch lange. Doch ein innerer Zwang treibt ihn fort.

„Ich ging, du standst und sahst zur Erden..."

„Schon stand im Nebelkleid die Eiche, Ein aufgetürmter Riese, da, Wo Finsternis aus dem Gesträuche Mit hundert schwarzen Augen sah."

Ziellos wandernd bekämpft Goethe den Trennungsschmerz. Er weiß, er muss da durch. Er muß seinen dichterischen Auftrag, seinen Genius, wie er sagt, retten. Bleibt ihm der, dann fürchtet er nicht die Stürme des Lebens.

Wen du nicht verlässest, Genius, Nicht der Regen, nicht der Sturm Haucht ihm Schauer übers Herz.

Sein Fach hat Goethe weder in Leipzig noch in Straßburg besonders fleißig studiert. Er hat aber eine schnelle Auffassungsgabe. Für die Abschlußprüfung zieht er sich sorgfältig an. Er besteht sein Examen in einer Diskussion mit einem Professor. Nun hat er das Recht, eine Anwaltskanzlei zu gründen.

Der Gesetzgeber, also der Staat hat das Recht, ja die Pflicht zur Aufsicht über die Kirche.

In seiner Heimatstadt macht Goethe eine Kanzlei auf. Der Vater hilft ihm, er ist ja auch Jurist. Dem Sohn geht vor Gericht schon mal das Temperament durch.

Mein Sohn und ich müssen noch die Statuten prüfen. Sie erhalten Bescheid.

Ich hoffe, Sie werden mir zu meinem Recht gegen die Stadt verhelfen.

Mäßigen Sie sich!

Was hat denn der Antragsgegner zu bieten außer Lügen und Unterstellungen?

1772 wird in Frankfurt eine junge Frau hingerichtet. Sie hat ihr Kind getötet. Goethe ist kein Gegner der Todesstrafe. In solchem Fall einer Verführten aber ist er für Milde und findet das Spektakel »grässlich«. In seinem »Faust« wird er die arme Frau als Gretchen auftreten lassen.

Rübe runter!

Hörst du dein Kind schreien?

Soldatenhure!

Fahr zur Hölle!

Der Freund Herder in Straßburg hat Goethe auf den englischen Dichter Shakespeare aufmerksam gemacht. Dessen Schauspiele reizen ihn zu einem ähnlichen Versuch. Er schreibt ein Stück über den Ritter Götz, der nach einer Verwundung eine Eisenhand hat. Genauso eisern ist sein Wille und hart seine Sprache im Kampf für die armen Leute gegen die hohen Herren.

Tätärätätä !!

Mich ergeben ! Auf Gnad und Ungnad ! Mit wem redet ihr ! Bin ich ein Räuber ! Sag deinem Hauptmann: Vor Ihro Kaiserliche Majestät hab ich, wie immer, schuldigen Respekt. Er aber, sag's ihm, er kann mich im Arsch lecken !

Es hält den Dichter nicht bei den Akten. Er wandert oft nach Darmstadt. Dort hat er einen Kreis von sehr gefühlvollen jungen Frauen und Männern gefunden. Mit ihnen schwärmt er, ihnen trägt er Verse vor.

Veilchen bring ich getragen, Junge Blüten zu dir, Dass ich dein moosig Haupt Ringsum bekränze, Ringsum dich weihe, Felsen des Tals.

Einer seiner Darmstädter Freunde hat eine Zeitschrift übernommen und gewinnt Goethe zur Mitarbeit. Der schreibt vor allem Besprechungen von Büchern in kräftigen Worten.

Was ist das für ein Tintenkleckser, der die Mädchen nur anhimmelt und sie nicht beim Kopf nimmt und weidlich anschmatzt !

Auf seinen weiten Wegen geht dem Dichter mancherlei durch den Kopf. Die Zeilen stammen aus einem »Zigeunerlied«, das ihm dabei einfällt.

„Ich hörte der Wölfe Hungergeheul, Ich hörte der Eulen Geschrei: Wille wau wau wau ! Wille wo wo wo ! Wito hu !"

Vater Goethe macht sich Sorgen über die Faulheit des jungen Anwalts. Er schickt den Sohn daher zur weiteren Ausbildung nach Wetzlar ans Reichskammergericht. Das hört sich großartig an, zu sagen aber hat das Gericht nicht viel. Goethe findet die Stadt außerdem hässlich.

Du blöder Gaul!

Guten Morgen, Nachbarin

So unscheinbar die Stadt, so schön die Umgebung in diesem Frühling 1772. Goethe macht die Bekanntschaft von Charlotte Buff. Das schöne Mädchen führt den Haushalt des Vaters und versorgt die Geschwister. Die Mutter ist gestorben. Lotte, so nennen alle die neue Freundin, ist schon verlobt mit dem künftigen Hofrat Kestner. Goethe verliebt sich in sie, muss aber schließlich verzichten.

„....man möchte zum Maienkäfer werden, um in dem Meer von Wohlgerüchen herumschweben zu können."

Eure Mutter hat euch ja ganz sonntäglich angezogen.

Wir haben keine Mutter mehr. Unsere Schwester sorgt für uns.

Nur Geduld, ihr bekommt alle etwas.

Sie wollen von niemanden Brot geschnitten haben als von mir.

Schönen Gruß an Kestner!

Wer ist Kestner?

Das Erlebnis mit Lotte gestaltet Goethe in einem Roman »Die Leiden des jungen Werthers«. Damit überwindet er seinen Liebeskummer. Ein Kollege in Wetzlar aber, ebenfalls unglücklich verliebt, begeht Selbstmord. Das übernimmt Goethe in den Roman, der ungeheuren Erfolg hat. Goethe wird über Nacht berühmt.

Sie ist geladen. Es schlägt zwölfe ! So sei es denn ! – Lotte ! Lotte, lebe wohl ! Lebe wohl !

„Handwerker trugen ihn. Kein Geistlicher hat ihn begleitet.“

Die Kirche wettert gegen Goethes Roman. Einige junge Leute nämlich nehmen sich Werther zum Vorbild und erschießen sich, oftmals in den typischen blauen Frack Werthers gekleidet. Die Entrüstung macht Goethe nur noch berühmter.

Hütet euch vor den gottlosen Romanschreibern. Wer den Freitod verherrlicht, begeht eine Sünde wider den Heiligen Geist. Das Leben ist ein Geschenk des Schöpfers. Keiner hat das Recht, es wegzuwerfen. Gott lässt seiner nicht spotten.

Goethe merkt, dass er in die Jahre kommt. Die Freundin Karoline, der er ein Gedicht gewidmet hat, heiratet den Freund Herder. Auch die Schwester Cornelia verlässt ihn und heiratet. Sie wäre viel lieber daheim geblieben. Liebe ist jedenfalls nicht im Spiel. Frauen müssen froh sein, wenn sie versorgt sind.

Zu Goethes Freunden gehört neuerdings Klinger, ein Mann aus armer Familie, aber voller Tatendrang. Er trägt der Gesellschaft sein neuestes Drama vor. Im Gespräch finden sie den passenden Titel dafür. Später benennt man die ganze kurze Zeit dieser wilden Jahre so: Sturm und Drang.

O könnte ich in dem Raum dieser Pistole existieren, bis mich eine Hand in die Luft knallte!

Das ist groß, Klinger, bravo. Wie soll das Ding heißen?

Ich wollts erst »Wirrwarr« nennen. Jetzt aber kommts mir vor wie lauter Sturm und Drang.

Das ist der Titel, Männer! Stürmen! Drängen! Vorwärts!

Bis in die tiefe Nacht diskutieren die Freunde. Zum Schluss deklamiert Goethe seine neueste Hymne »An Schwager Kronos«, also an den Gott der Zeit. Auf dem Gipfel des Lebens soll er ihn abberufen. Die Hölle fürchtet der Dichter nicht.

Ab denn, rascher hinab!
Sieh, die Sonne sinkt!
Eh sie sinkt, eh mich Greisen
Ergreift im Moore Nebelduft,
Entzahnte Kiefer schnattern
Und das schlotternde
Gebein –

Trunken vom letzten Strahl
Reiß mich, ein Feuermeer
Mir im schäumenden Aug,
Mich geblendeten Taumelnden
In der Hölle nächtliches
Tor.

Der Erfolg des »Götz« ermuntert zu weiteren Arbeiten für die Bühne. In rascher Folge entstehen 1774/75: »Clavigo« (links), ein Stück über ein gebrochenes Eheversprechen; »Stella« (Mitte), das Drama eines Mannes zwischen zwei Frauen; »Erwin und Elmire«, ein Singspiel um Trennung und Wiederfinden zweier Liebender.

Ich hab ihre Hand! Ihre kalte Totenhand! Du bist die Meinige!

Meine Jugend! – meine goldnen Tage! Und du trägst die tiefe Tücke im Herzen!

O Mädchen, Mädchen, was macht ihr uns nicht vergessen!

Seltsame Bekanntschaften macht Goethe 1774. Er begegnet Lavater. Dieser Pastor aus der Schweiz deutet den Charakter von Menschen aus ihren Gesichtszügen oder sogar nur aus dem Profil. Basedow, der andere neue Bekannte, ist das Gegenstück dazu: ein fanatisch-finsterer Lehrer. Mit ihnen macht Goethe eine Reise und fühlt sich zwischen den beiden »Propheten« als ganz normaler Mensch sichtlich wohl.

„Und weiter ging's
Mit Geist- und Feuerschritten,
Prophete rechts, Prophete links,
Das Weltkind in der Mitten."

Eherner Sinn hinter der steilen Stirn. Er kann keinen Herrn haben, kann nicht Herr sein. Unter Gleichen und Freien muss er leben.

Ja, so ist das Profil des Cäsarmörders Brutus trefflich gedeutet.

Goethe gerät 1774/75 in vornehme Gesellschaft: Freunde nehmen ihn mit ins Haus des Bankiers Schönemann. Er verliebt sich sofort in die Tochter Elisabeth, genannt Lili, lauscht hingerissen ihrem Klavierspiel und genießt mit ihr den herrlichen Frühling bei Bootsfahrten.

„Ich hätte mein Blut
Gegeben, um ihre Blumen
zu begießen."

„Wo du, Engel, bist, ist Lieb und Güte,
Wo du bist, Natur."

Lili und Goethe haben sich gegen den Widerstand der Eltern verlobt. Jetzt begreift der Dichter, wie nahe er davor ist, sich zu binden. Er sucht Abstand durch eine Reise in die Schweiz. Doch Lilis Bild begleitet ihn ständig und überall. Beim Blick nach Italien ist er versucht zu fliehen, er kehrt aber noch einmal um.

„Im holden Tal, auf schneebedeckten Höhen
War stets dein Bild mir nah;
Ich sah's um mich in lichten Wolken wehen,
Im Herzen war mir's da."

Die Schweiz-Reise hat das Verhältnis geklärt. Goethe erkennt: Er kann nicht biederer Familienvater werden. Er entsinnt sich der Einladung des Herzogs von Sachsen-Weimar und beschließt, ihr zu folgen. Am 30. Oktober 1775 verlässt er Frankfurt in aller Frühe. Von Lili verabschiedet er sich kaum. Er ruft ihr nur ein »Lebewohl!« in der Morgenstille nach.

Lili, adieu Lili, zum zweitenmal! Das erste Mal schied ich noch hoffnungsvoll unsere Schicksale zu verbinden! Es hat sich entschieden – wir müssen einzeln unsere Rollen ausspielen.

Weimar ist bei Goethes Eintreffen kaum mehr als ein großes Dorf. Am Tor muss selbst der herzogliche Wagen halten. Goethe sieht bereits von hier die Ruine des vor zwei Jahren abgebrannten Schlosses. Vielleicht denkt er an diese Ankunft, als er später seinen lustigen Vers schreibt: Auch in einem Nest wie Weimar kann man Weltbürger sein.

„Gott grüß euch, Brüder,
Sämtliche Oner und Aner!
Ich bin Weltbewohner,
Bin Weimaraner."

Geb Er die Straße frei! Der Herzog erwartet seinen Gast mit Ungeduld!

Rasch! Melde die Ankunft des Kammerherrn von Kalb bei Hofe!

Der Herzog hat Goethe kommen lassen. Sie werden Freunde. Die Herzoginmutter Anna Amalia hat dem Sohn Goethe empfohlen. Sie hat schon andere bedeutende Leute in ihre kleine Stadt geholt. Neben der herzoglichen Familie wird die Hofdame Charlotte von Stein zum wichtigsten Menschen für Goethe in seiner neuen Heimat.

Zunächst bricht eine wilde Zeit für den Dichter an. Der blutjunge Herzog liebt ausgelassenes Reiten, spielt Dorfbewohnern gern Streiche, kann ganze Nächte am Lagerfeuer dem Wein zusprechen und jagt für seine Leben gern. Goethe muss überall dabei sein.

Was hab ich von meiner Fürstlichkeit, wenn ich mich nicht vergnügen soll? Also hoch den Becher!

„Segne die Brüder der Jagd
Auf der Fährte des Wilds."

Der Herzog möchte, dass Goethe auf Dauer in Weimar bleibt. Er schenkt ihm ein Gartenhaus am Flüßchen Ilm. Der Dichter stürzt sich mit Feuereifer auf die Ausgestaltung des Parks davor und verbringt viele Stunden schreibend und nachdenkend in der ländlichen Ruhe. Gedichte wie »An den Mond« entstehen hier.

„Füllest wieder Busch und Tal
Still mit Nebelglanz,
Lösest endlich auch einmal
Meine Seele ganz."

Alles so still. Ich höre nur meine Uhr tacken und den Wind und das Wehr von ferne.

Nicht nur auf wilder Jagd vergnügen sich die Weimarer Hofleute. Man kommt gern auch zu Gesprächen bei der Herzoginmutter zusammen. Goethe benimmt sich in diesem »Musenhof« genannten Kreis manchmal höchst seltsam. Man nimmt es ihm aber kaum übel. Er gilt als Genie. Und weil der Dichter Wieland ihn lobt, muss er wohl wirklich bedeutend sein.

Ja, Meister Wieland, was ist denn nun von diesem Goethe, der sich da so hingegossen rumlümmelt, zu halten?

Ein Hexenmeister, ein Götterliebling und wirklich ungezwungen. Ob er schweigt oder schreit, er ist immer ganz er selbst.

Aber Dr. Goethe, was fällt Ihnen denn nun wieder ein?!

Minister

Der Herzog beschließt, Goethe in seinen Geheimen Rat, die Regierung des kleinen Landes, aufzunehmen. Das trifft auf erbitterten Widerstand seines Leitenden Ministers. Doch er gibt schließlich nach, als auch die Mutter des Herzogs für Goethe eintritt.

Ich bitte untertänigst um Vergebung, aber mit diesem Goethe kann ich nicht zusammen in der Regierung sitzen. Ich weiß seine Liebe zu Euer Durchlaucht zu schätzen, doch geht ihm jede Erfahrung ab.

Ich bitte Sie, das noch einmal zu überlegen. Goethe ist ein Mann von Genie. Ihn nicht an oberster Stelle zu gebrauchen, hieße ihn missbrauchen.

Exzellenz, Sie sind der treueste Diener unseres Hauses. Es ist Ihre Pflicht, im Amt auszuharren. Sie werden es nicht bereuen.

Bei Inspektionsreisen mit dem Herzog erwacht Goethes Interesse für die Gesteinskunde und das Bergwesen. In Ilmenau besichtigt er einen stillgelegten Schacht und entwickelt den Plan einer neuen Inbetriebnahme – acht Jahre später ist es so weit.

Es ist wie vermutet. Wasser hat den ganzen hinteren Schacht zerstört. Mit einigem Geschick wäre der Schaden zu beheben und wieder Kupferschiefer zu gewinnen.

Goethe verliebt sich in die sieben Jahre ältere Charlotte von Stein. Glutvoll sind seine Gedichte, die er an sie richtet. Es bleibt aber bei der Schwärmerei. Die gewandte Hofdame erzieht den ungestümen Dichter zu besonnenerem Verhalten.

Wie soll ich fliehen? Wälderwärts ziehen? Alles vergebens! Krone des Lebens, Glück ohne Ruh, Liebe, bist du!

Da kommt man im Winter nicht rauf. Kann jederzeit Nebel geben.

„Du stehst...
Über der erstaunten Welt
Und schaust aus Wolken
Auf ihre Reiche und Herrlichkeit"

Hier auf des Teufels Altar opfere ich Gott meinen liebsten Dank.

Goethe kommt weit herum. Ende 1777 besucht er den Harz. Dessen höchster Gipfel, der 1142 Meter hohe Brocken, reizt ihn. Obwohl der Förster abrät, besteigt er den Berg im Schnee. Weit, hoch, herrlich der Blick und gruselig die Sagen: Hier sollen die Hexen in der Walpurgisnacht tanzen. Seinen »Faust« wird der Dichter von Mephistopheles zur Hexen-Feier führen lassen.

„Und Neun ist Eins.
Und Zehn ist Keins.
Das ist das
Hexen-Einmaleins!"

Und noch eine Reise: Wieder mit dem Herzog fährt Goethe Ende 1779 in die Schweiz. In Frankfurt besucht er die Eltern: Die Mutter ist überglücklich, der verfallene Vater erkennt ihn kaum. Weiter geht es nach Emmendingen, wo vor zwei Jahren die Schwester Cornelia gestorben ist. Dann die herrliche Natur der Gebirgswelt „Gesang der Geister über den Wassern" nennt Goethe das hier entstehende Gedicht.

Oh wie bist du gesund und kräftig geworden! Und Geheimer Rat bist du auch. Was für ein Jubel- und Freudentag!

Das also ist das Grab meiner Schwester: Ihre geliebte Gestalt ist schon wie weggelöscht.

„Des Menschen Seele
Gleicht dem Wasser:
Vom Himmel kommt es,
Zum Himmel
steigt es."

Das Singspiel »Die Fischerin« wird in einem Park aufgeführt. Darin kommt eine Ballade vor, die weltberühmt wird: »Der Erlkönig«.

Mein Sohn, was birgst du so bang dein Gesicht?

Siehst, Vater, du den Erlkönig nicht?

Von Goethe erwarten alle ständig Unterhaltendes. Er schreibt »Das Jahrmarktsfest zu Plundersweilern«, das die Leute mit buntem Treiben amüsiert. Er verfasst eine lustiges Spiel über die Heiligen Drei Könige. Und zum Geburtstag der Herzogin 1781 lässt er am 30. Januar »Lappländer« in einem Maskenzug aufmarschieren und ein Ständchen bringen.

Besen kauft,
Besen kauft!
Groß und klein,
Schroff und rein,
Braun und weiß,
All aus frischem
Birkenreis;
Kehrt die Gasse,
Stub und Steiß
Besenreis, Besenreis!

Ha, ha, ha!
Nehmt von den
Pfefferkuchen da!
Sind gewürzt, süß
und gut;
Frisches Blut,
Guten Mut;
Pfeffernüss!
ha, ha, ha!

Die Heil'gen
Drei König'
sind wohlge-
sinnt,
Sie suchen
die Mutter
und das Kind

Wir bringen
Myrrhen, wir
bringen Gold,
Dem
Weihrauch
sind die
Damen hold.

Und haben wir
Wein von gutem
Gewächs,
So trinken wir
drei so gut als
ihrer sechs.

Wir kommen in
vereinten Chören
Vom fernen Pol in
kalter Nacht,
Und hätten gerne
dir zu Ehren
Den schönsten
Nordschein
mitgebracht.

Im Mai 1782 stirbt Goethes Vater, der zuletzt für die Mutter eine schwere Last gewesen ist. Viele Gedanken verschwendet Goethe nicht an dieses Ende; in seinen Briefen findet sich kaum eine Erwähnung. Die Verleihung des Adelsdiploms fast zur gleichen Zeit ist ihm fast wichtiger.

Nicht unerwartet. Eine Erlösung für die Mutter. Ja, mein Vater war ein tüchtiger Kerl. Nur zuletzt, wenn ihn die Langeweile plagte, dann war's fatal mit ihm.

Seine Kaiserliche Majestät hat Euch in den erblichen Adelsstand erhoben.

Im »Erlkönig« stellt Goethe die Natur unheimlich dar. In seinem bekanntesten Gedicht »Wandrers Nachtlied«, das er zur selben Zeit im Thüringer Wald an die Wand einer Berghütte schreibt, findet er in der Natur Geborgenheit und Ruhe.

„Über allen Gipfeln
ist Ruh,
In allen Wipfeln
Spürest du
Kaum einen Hauch;
Die Vögelein schweigen im Walde.
Warte nur, balde
Ruhest du auch."

Zehn Jahre Weimar. Kommt er hier nie mehr raus? Wird er je Italien sehen, von dem der Vater immer so geschwärmt hat? Goethe fühlt sich eingesperrt, fremd in der Heimat. Da nützen alle hohen Ämter nichts und nichts die Feste, Vergnügungen, Flirts. Nicht einmal Charlotte von Stein hält ihn noch. Die Liebe zu ihr hat ja keine Zukunft und wird mehr und mehr zur Fessel. Hinaus! Luft zu Atmen!

„Nur wer die Sehnsucht kennt, Weiß, was ich leide. Allein und abgetrennt Von aller Freude..."

„Kennst du das Land, wo die Zitronen blüh'n...?"

Zu niemandem ein Wort über seine Fluchtgedanken! Nicht einmal zu Charlotte. Sie reist ahnungslos mit dem Dichter ins Erzgebirge.

Wie das Leben der letzten Jahre würde ich mir lieber den Tod gewünscht haben.

Goethes 37. Geburtstag. Dazu Fahrt mit dem Herzog und einigen nach Karlsbad, wo Goethe gerne kurt.

Unser Dichter hat sich die Hörner abgestoßen. Die Stein hat den wilden Jungen gezähmt.

Flucht

Flucht in der Nacht zum 3. September 1786 aus Karlsbad. Für wie lange? Goethe weiß es noch nicht. Wohin er will, weiß er dagegen seit langem und genau: nach Rom. Schon zweimal ist er dorthin aufgebrochen und wieder umgekehrt. Nun soll ihn nichts und niemand mehr aufhalten.

„Ein schöner stiller Nebelmorgen. Die oberen Wolken streifig und wollig, die unteren schwer."

So, nun ist Goethe wohl weit genug weg. Ein schwieriger Brief ist zu schreiben – an den Herzog. Den hätte er ja eigentlich um Urlaub bitten müssen. Das wird jetzt nachgeholt in wohlgesetzten Worten.

Ich hoffe für die Elastizität meines Geistes das Beste, wenn er eine Zeitlang, sich selbst gelassen, der freien Welt genießen kann.

Goethes Kutsche hält an einer Poststation in den Bergen. Der »Flüchtling« nutzt die Pause zu einem Gespräch mit einem kleinen Mädchen. Es hat seine Aufmerksamkeit geweckt, weil es eine große Harfe dabei hat, die nicht nur Musik machen kann. Später wird Goethe die Begegnung in seinem Roman »Wilhelm Meister« verwenden.

Das Wetter bleibt schön. Ich habe ein Barometer – die Harfe. Wenn die sich von selber nach oben verstimmt, dann gibt es gutes Wetter. Heute ist das so.

"Jetzt ging mir eine neue Welt auf.
Ich näherte mich den Gebirgen,
die sich nach und nach
entwickelten."

Der Naturforscher Goethe ist gefesselt von Tier- und Pflanzenwelt des Hochgebirges. Besonders aber interessieren ihn als Sammler seltener Gesteine die Felsen mit ihren Adern und Schichtungen.

Er hat Arbeit im Gepäck. Darunter das Drama »Iphigenie«, das in Italien ausreifen soll. Zwei Zeilen daraus spricht er in Gedanken vor sich hin:

Und rette mich, die du vom Tod errettet, Auch von dem Leben hier, dem zweiten Tode!

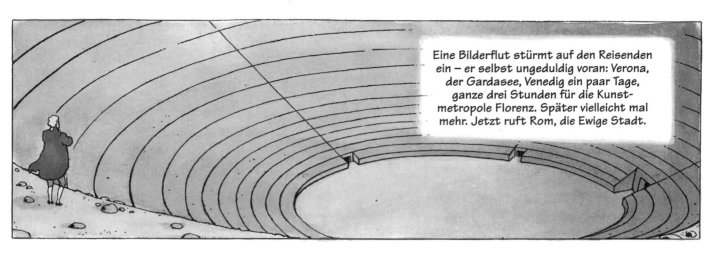

Eine Bilderflut stürmt auf den Reisenden ein – er selbst ungeduldig voran: Verona, der Gardasee, Venedig ein paar Tage, ganze drei Stunden für die Kunstmetropole Florenz. Später vielleicht mal mehr. Jetzt ruft Rom, die Ewige Stadt.

Es liegt in meiner Natur, das Große und Schöne willig und mit Freuden zu verehren…

…Und diese Anlage an so herrlichen Gegenständen…

…Tag für Tag, Stunde für Stunde auszubilden, ist das seligste aller Gefühle.

Am späten Nachmittag des 28. Oktober 1786 kommt Rom in Sicht. Vorerst kann Goethe das Ziel seiner Reise und Wünsche nur von fern bewundern. Aufgehalten an einer Wegbiegung, saugt er sich mit den Blicken förmlich nach Rom hin, wo er am kommenden Tag einziehen wird.

„Morgen abend also in Rom.
Ich glaube es noch jetzt kaum...
Die Begierde, dieses Land
zu sehen, war überreif."

Angekommen »in dieser Hauptstadt
der Welt«. Goethe fühlt sich frei wie ein
Vogel. Alle heimischen Fesseln ist er los:
kein Dienst, keine Verpflichtungen,
keine hemmenden Freund- oder Feindschaften.
Als »Philippe Möller, pittore« (Maler)
trägt er sich bei seinen Wirtsleuten
ins Gästebuch ein. Er will endlich
einmal nicht der berühmte Dichter
des »Werther« und der wichtige
weimarische Minister sein.

„Alle Träume
der Jugend seh ich
nun lebendig..."

Den Aufenthalt in Italien nutzt Goethe zu einem Abstecher nach Neapel, von wo er im April und Mai 1787 die erste und einzige Seereise seines Lebens nach Sizilien macht. Den rauchenden Vesuv hat er mehrmals bestiegen und bewundert ihn nun vom Schiff aus. Im üppigen Botanischen Garten von Palermo überlegt er, ob nicht alle Pflanzen aus einer Urpflanze entstanden sind.

Wie in diesen Paradiesen der Welt sich zugleich die vulkanische Hölle so gewaltsam auftut!

Ob ich hier nicht die Urpflanze entdecken könnte? Es muss doch eine geben!

Nach einem weiteren langen Aufenthalt in Rom muß Goethe Ende April 1788 die Heimreise antreten. Sie führt ihn einen Monat später nach Mailand, wo er andächtig das berühmte Bild »Abendmahl« von Leonardo da Vinci anschaut und Abschied von Italien nimmt.

Ein einzigartiges Bild. Wirklich mit nichts zu vergleichen.

Am 12. Juli 1788, kurz nach der Rückkehr aus Italien, tritt Goethe eine hübsche junge Frau im Park in den Weg. Christiane Vulpius heißt sie. Sie überreicht ihm eine Bittschrift ihres Bruders Christian August. Dem hat sein Arbeitgeber in Nürnberg gerade gekündigt. Vielleicht kann Goethe den begabten Schreiber brauchen? Der Dichter aber findet vor allem Gefallen an der munteren Kleinen und lädt sie zu sich ein. Sie wird für immer bei ihm bleiben und ihm endlich ein richtiges Zuhause schaffen.

Da wollen wir doch einmal sehen. Soso, Romane hat er auch schon geschrieben. Begleite sie mich doch ein Stück zu meinem Gartenhaus und erzähle sie mir mehr. Auch von sich.

Herr Geheimrat kennen doch meinen Bruder? Er schickt mich. Können Herr Geheimrat ihm nicht eine Stellung vermitteln? Er schreibt eine gute Hand und ist sehr fleißig.

Lebenslauf

1749 28.8. Geburt in Frankfurt am Main

1750 7.12. Geburt der Schwester Cornelia

1755 Umbau des Elternhauses, Beginn des regelmäßigen Unterrichts durch den Vater und Hauslehrer

Die Eltern: Katharina Elisabeth und Johann Kaspar Goethe

1759-63 Besetzung Frankfurts durch französische Truppen, Einquartierung von Graf Thoranc

1764 3.4. Kaiserkrönung Josephs II. in Frankfurt

1765-68 Studium der Rechte in Leipzig. Freundschaft mit Behrisch, Oeser, Käthchen Schönkopf - *Das Buch Annette; Die Laune des Verliebten*

1768/69 Schwere Erkrankung, Rückkehr nach Frankfurt - *Die Mitschuldigen*

1770/71 Abschluss des Studiums in Straßburg, Liebe zu Friedrike Brion - *Friederikenlieder (Sesenheimer Lieder)*

1771 Rückkehr nach Frankfurt, vorübergehende Anwaltstätigkeit - *Zum Schäkespears Tag (14.10.); Götz*

Der Frankfurter Römerberg Mitte des 18. Jahrhunderts

1772 Kreis der Empfindsamen in Darmstadt, Praktikum am Reichskammergericht in Wetzlar, Liebe zu Charlotte Buff - *Von deutscher Baukunst; Wandrers Sturmlied*

1773 *Jahrmarktsfest zu Plundersweilern* (überlieferte Fassung 1778); *Götter, Helden und Wieland; Erwin und Elmire; Der Brief des Pastors; Satyros; Concerto dramatico; Prometheus*

1774 Lahn-Reise mit Lavater, in Düsseldorf bei Jacobi, erste Begegnung mit Karl August- *Die Leiden des jungen Werthers; Clavigo; Claudine von Villa Bella; Der Ewige Jude*

1775 Verlobung mit Lili Schönemann, erste Schweizer Reise. Auf Einladung des Herzogs Niederlassung in Weimar (Ankunft 7.11.), erste Begegnung mit Charlotte von Stein - *Urfaust; Stella; Lili-Lieder;* Beginn des *Egmont*

Charlotte Freifrau von Stein

1776 Einzug ins Gartenhaus, Eintritt in den weimarischen Staatsdienst, Herders Niederlassung in Weimar - *Gedichte an Frau von Stein; Die Geschwister; Proserpina*

1777 Tod der Schwester (8.6.), Reisen in Thüringen, Ritt durch den Harz - *Lila; Der Triumph der Empfindsamkeit; Harzreise im Winter;* Anfänge des *Wilhelm Meister*

1778 Mit dem Herzog in Berlin und Potsdam - *Grenzen der Menschheit*

1779 Übernahme der Leitung der Kriegs- und
der Wegebaukommission, Geheimrat, mit
dem Herzog zweite Schweizer Reise -
*Gesang der Geister über den Wassern,
Jery und Bätely,* Prosafassung *Iphigenie*

1780/81 Hofleben in Tiefurt, mineralogische und
anatomische Studien -
Die Fischerin; Elpenor

1782 Tod des Vaters (2.6.), Adelsdiplom, Übernahme des Präsidiums der Kammer,
Reisen

1783-85 Zwei Harz-Reisen, Entdeckung des Zwi-
schenkieferknochens, botanische Studien, Kur in Karlsbad - *Das Göttliche;
Scherz, List und Rache; Die Geheimnisse*

1786 Flucht aus Karlsbad nach Italien
(29.10. Ankunft in Rom) -
Versfassung *Iphigenie*

1787 Neapel und Sizilien - Vollendung
Egmont, Arbeit an *Faust* und *Tasso*

Goethes Ansicht der Peterskirche in Rom, 1788

1788 Abreise von Rom (23.4.), Heimkehr
(18.6.), Begegnung mit Christiane
(12.7.), erstes Treffen mit Schiller (7.9.) -
Römische Elegien

1789 Erneute Harz-Reise, Geburt des Sohns
August - Vollendung *Tasso*

1790 Reisen nach Venedig, Schlesien -
*Die Metamorphose der Pflanzen;
Venetianische Epigramme*

J.H.W. Tischbein: Goethe in Neapel

*Johann Ernst Heinsius: Herzog Karl August
von Sachsen-Weimar-Eisenach, 1781*

1791/92 Übernahme der Leitung des Weimarer
Hoftheaters, Teilnahme am Feldzug in
Frankreich und an der Kanonade von
Valmy, Besuche bei Jacobi in Düsseldorf
und Fürstin Gallitzin in Münster -
Der Großkophta, Beiträge zur Optik

1793/94 Bei der Belagerung von Mainz, Beginn
der Freundschaft mit Schiller, Beschäf-
tigung mit der Urpflanze - *Der Bürger-
general; Reineke Fuchs; Die Aufgeregten;
Unterhaltungen deutscher Ausgewanderten*

Anna Katharina (Käthchen) Schönkopf

1795/96 Karlsbad - *Das Märchen; Xenien;
Wilhelm Meisters Lehrjahre; Hermann
und Dorothea; Benvenuto Cellini*

1797 Dritte Schweizer Reise, letzter Besuch
bei der Mutter - *Balladen*

1798/99 Kauf des Gutes Oberroßla, Schiller zieht
nach Weimar - *Propyläen; Achilleis;
Die natürliche Tochter* (bis 1803)

1800-04 Reisen nach Dessau, Leipzig und nach
Pyrmont, Göttingen, Kassel. Erkrankung
an Gesichtsrose, Eröffnung des Theaters
in Lauchstädt, Zelter erstmals in Weimar,
Riemer Hauslehrer von Sohn August,
Ernennung zum Wirklichen Geheimen
Rat - Arbeit an Helena-Szene in *Faust II;
Winckelmann und sein Jahrhundert*

1805 Nierenkoliken, Tod Schillers (9.5.),
Reisen nach Halberstadt und Magde-
burg - Epilog zu *Schillers Glocke*

1806 Karlsbad, Schlacht bei Jena und Auer-
stedt (14.10.), Eheschließung mit
Christiane (19.10.) - Abschluss *Faust I
(13.4.); Metamorphose der Tiere*

1807 Tod Anna Amalias, mehrere Monate in
Karlsbad, bei Frommann in Jena,
Bekanntschaft mit Minna Herzlieb -
Sonette; Beginn *Wilhelm Meisters
Wanderjahre*

1808 Karlsbad/Franzensbad, Tod der Mutter
(13.9.), Empfang bei Napoleon in
Erfurt (2.10.) - *Pandora*

1809/10 Karlsbad/Teplitz/Dresden - *Farben-
lehre; Die Wahlverwandtschaften;
Philipp Hackert; Werkausgabe in
13 Bänden*

1811/12 Karlsbad/Teplitz, Begegnung mit Beet-
hoven - *Dichtung und Wahrheit I und II*

1813 Tod Wielands (20.1.), Völkerschlacht bei
Leipzig (16.-19.10.) -
Dichtung und Wahrheit III

1814/15 Zwei Reisen in die Rhein-Main-Gegend,
Begegnung mit Marianne von Willemer,
Teilnahme am St.-Rochus-Fest in Bingen,
bei Boisserée in Heidelberg, Aufenthalt
in der Gerbermühle, Reise nach Köln,
Ernennung zum Staatsminister -
West-östlicher Divan

1816 Tod Christianes (6.6.), Aufenthalt in Bad
Tennstedt, Besuch von 'Lotte' (Buff) in
Weimar - *Italienische Reise I und II;*
Zeitschrift *Über Kunst und Altertum*
(bis 1832)

1817 Beendigung der Theaterleitung,
Eheschließung von Sohn August mit
Ottilie von Pogwisch (13.7.) -
*Urworte Orphisch; Geschichte meines
botanischen Studiums*

1818-20 Geburt der Enkel Walther und Wolfgang,
dreimal Karlsbad - *Werkausgabe in
20 Bänden; Zahme Xenien*

Goethe, nach einem Schattenriss um 1780

1821/22 Zweimal Eger und Marienbad, Begegnung mit Ulrike von Levetzow - *Kampagne in Frankreich*

1823 Zwei schwere Erkrankungen, Ankunft von Eckermann in Weimar (10.6.), Karlsbad/Eger, Marienbad, Abweisung der Werbung um Ulrike - *Marienbader Elegie*

1824/25 Brand des Weimarer Theaters, Feier der 50. Wiederkehr der Ankunft in Weimar, - Wiederaufnahme der Arbeiten an *Faust II, Briefwechsel mit Schiller*

1826/27 Tod Charlottes von Stein (6.1.27), Geburt der Enkelin Alma - *Novelle*

1828/29 Tod von Karl August (16.6.28), Rückzug auf die Dornburg, Faust-Uraufführung in Braunschweig - Vollendung von *Wilhelm Meisters Wanderjahren* und der *Italienischen Reise* (2. Aufenthalt in Rom)

1830 Tod der Großherzogin Luise (14.2.), Tod des Sohnes August in Rom (27.10.), schwere Erkrankung - *Dichtung und Wahrheit IV; Ausgabe letzter Hand*

1831 Letzter Geburtstag in Ilmenau - Vollendung von *Faust II*

1832 22. März Tod in Weimar, Beisetzung 26.3. in der Fürstengruft

Goethes Weimarer Wohnhaus am Frauenplan

Goethe: Landgut Apollinare, 1787

Werkproben

In den Bildern der gezeichneten Lebens-
geschichte konnte Goethe als Dichter nur immer
mit wenigen Sätzen zu Wort kommen. Ein paar
längere Stücke sollen einen Eindruck vom
reichen Werk des jungen Goethe vermitteln.
Natürlich lassen sich auch hier meist nur
Bruchstücke vorstellen. Sie sagen aber doch
soviel: Längeres Hinhören lohnt.

Die Schmerzen der Liebe sind Thema vieler
Gedichte des jungen Goethe. Alle Welt kennt die
Strophen „Sah ein Knab ein Röslein stehn...“.
Etwa zur gleichen Zeit (1773) entstand

Das Veilchen

Ein Veilchen auf der Wiese stand
Gebückt in sich und unbekannt;
Es war ein herzigs Veilchen.
Da kam eine junge Schäferin,
Mit leichtem Schritt und munterm Sinn,
Daher, daher,
Die Wiese her, und sang.

Ach! denkt das Veilchen, wär ich nur
Die schönste Blume der Natur,
Ach, nur ein kleines Weilchen,
Bis mich das Liebchen abgepflückt
Und an dem Busen matt gedrückt!
Ach nur, ach nur
Ein Viertelstündchen lang!

Ach! aber ach! das Mädchen kam
Und nicht in Acht das Veilchen nahm,
Ertrat das arme Veilchen.
Es sank und starb und freut' sich noch:
Und sterb ich denn, so sterb ich doch
Durch sie, durch sie,
Zu ihren Füßen doch.

Extracts

In the pictures portraying his life story, Goethe
the poet was only allowed to say a few sentences.
Some longer pieces should give an impression of
the richness of the young Goethe's work. Of
course we can still only show some fragments.
But they do express this much: it's worth getting
to know.

The pain of love are the subject of many of the
young Goethe's poems. Everyone knows the line
„Sah ein Knab ein Röslein stehn...“. The following
poem was written at about the same time.

The Violet

A violet grew on a lea
So screened by leaves that few could see
The shy and humble flower.
A shepherdess who walked apart
With sprightly step and jocund heart
At length drew near,
Singing a roundelay.

Ah, thought the violet, would that I
Were fairest flower beneath the sky
A fraction of an hour,
That plucked, I might but grace her hair
Or rest upon her bosom fair,
A moment dear,
Before I fade away.

Alas, alas, the maiden came
With heedless step and careless aim
And crushed the simple flower.
It sank and died with poignant sigh;
If die I must, for her I die
With joy, and here
In death my tribute pay.

Extractos

En las imágenes de la biografía dibujada, el poeta Goethe podía expresarse siempre con solo unas pocas frases. Un par de dramas más extensos deben transmitir una impresión de la rica obra del joven Goethe. Mayormente, lo que aquí se presenta es sólo unos fragmentos. Sin embargo, son muy elocuentes: merece la pena pasar un rato escuchándolos.

Las penas de amor son el tema de muchos poemas del joven Goethe. Todo el mundo conoce los versos de „Sah ein Knab ein Röslein stehn...“ Aproximadamente en la misma época (1773) escribió

La violeta

Una violeta había allá en el prado
doblada sobre sí, ser ignorado;
una deliciosa florecilla.
Y acercósa una joven pastora
de paso vivaz y espíritu risueño,
vamos, vamos,
cantaba por el prado.

¡Ay! se decía, si en este mundo yo
fuera de todas la más hermosa flor
ay, tan sólo por un rato
¡hasta que me arranque el amorcito
y me apriete muy fuerte en su pechito!
¡Ay, ay, y ay,
sea sólo por cinco minutos!

Pero ¡ay! ¡ay! llegó la pizpireta
sin fijarse siquiera en la violeta
y a la flor pisoteó
que se hundió y murió y aun se alegraba:
pues si he de morir que muera, exclamaba,
por ella, por ella
pero, ay, a sus pies.

Extraits

Dans les dessins retraçant sa biographie, Goethe, le poète, n'apparaît que très peu. Nous vous proposons quelques morceaux choisis afin de vous donner une impression de l'œuvre riche du jeune Goethe. Il ne s'agit bien sûr que d'extraits, mais ils donnent tous à la même envie d'en lire plus.

Les chagrins d'amour occupent une grande place dans les poèmes du jeune Goethe. Tout le monde connaît la strophe qui commence par „Sah ein Knab ein Röslein stehn...“. C'est environ à la même époque (1773) qu'il écrivit

La violette

Dans la prairie se trouvait une violette
la tête inclinée;
c'était une gentille violette.
Alors une bergère jeune et gaie
traversa la prairie
d'un pas léger en chantant.

Ah! pensa la violette,
si seulement j'étais
la plus belle fleur de la terre,
ah! un instant seulement,
jusqu'à ce que la chère jeune fille m'ait cueillie
et pressé sur son cœur!
Ah! un quart d'heure seulement!

Mais hélas! la jeune fille approcha,
ne remarqua pas la violette
et posa le pied sur elle.
La pauvre violette tomba et mourut,
heureusement pourtant :
Si je meurs, je mourrai à cause d'elle!
A cause d'elle ! A ses pieds!
La pauvre! C'était une gentille violette.

Das Schauspiel „Götz von Berlichingen mit der eisernen Hand" schrieb Goethe 1772. Er hat darin das Schicksal eines alten Haudegen aus der Zeit der Bauernkriege des frühen 16. Jahrhunderts gestaltet. Götz scheitert mit seinem Einsatz für die Schwachen gegen die Herrschenden, eine Warnung des Dichters an die eigene Zeit.

Hier die Schlussszene mit Elisabeth, Götzens Frau, Maria, seiner Schwester, und Lerse, seinem Freund:

GÖTZ. Allmächtiger Gott! Wie wohl ist's einem unter deinem Himmel! Wie frei! - Die Bäume treiben Knospen, und alle Welt hofft. Lebt wohl, meine Lieben; meine Wurzeln sind abgehauen, meine Kraft sinkt nach dem Grabe.
ELISABETH. Darf ich Lersen nach deinem Sohn ins Kloster schicken, dass du ihn noch einmal siehst und segnest?
GÖTZ. Lass ihn, er ist heiliger als ich, er braucht meinen Segen nicht. - Ach dass ich Georgen noch einmal sähe, mich an seinem Blick wärmte! - Ihr seht zur Erden und weint - Er ist tot - Georg ist tot. - Stirb, Götz - Du hast dich selbst überlebt, die Edeln überlebt. - Wie starb er? - Ach, fingen sie ihn unter den Mordbrennern, und er ist hingerichtet?
ELISABETH. Nein, er wurde bei Miltenberg erstochen. Er wehrte sich wie ein Löw um seine Freiheit.
GÖTZ. Gott sei Dank! Er war der beste Junge unter der Sonne und tapfer. - Löse meine Seele nun. - Arme Frau. Ich lasse dich in einer verderbten Welt. Lerse, verlass sie nicht. - Schließt eure Herzen sorgfältiger als eure Tore. Es kommen die Zeiten des Betrugs, es ist ihm Freiheit gegeben. Die Nichtswürdigen werden regieren mit List, und der Edle wird in ihre Netze fallen. Marie, gebe dir Gott deinen Mann wieder! Möge er nicht so tief fallen, als er hoch gestiegen ist! Selbitz starb, und der gute Kaiser, und mein Georg. - Gebt mir einen Trunk Wasser! - Himmlische Luft - Freiheit! Freiheit! (Er stirbt.)
ELISABETH. Nur droben, droben bei dir. Die Welt ist ein Gefängnis.
MARIA. Edler Mann! Edler Mann! Wehe dem Jahrhundert, das dich von sich stieß!

Goethe wrote the play „Götz von Berlichingen mit der eisernen Hand" in 1772. It portrays the fate of an old campaigner from the Peasants' War in the early 16th century. Götz fails in his actions on the side of the weak against the rulers - the poet's warning to his own age.

Here follows the final scene, with Götz' wife Elisabeth, his sister Maria, and his friend Lerse.

GOETZ. Almighty God! How blissful it is for a man to be beneath your sky! How free! - The trees are putting forth buds and the world is full of hope. Farewell, my loved ones; my roots have all been cut off, my strength is sinking toward the grave.
ELISABETH. May I send Lerse to the monastery for your son, so you may see him once again and bless him?
GOETZ. Leave him, he is holdier than I, he needs no blessing from me. - Ah, if only I might see Georg once more, might warm myself on his gaze. - You all look to the ground and weep. - He is dead - Georg is dead. - Then die, Goetz. - You have outlived yourself, outlived the noble ones. - How did he die? - Ah, they captured him among those murderous incendiaries, and he was executed?
ELISABETH. No, he was cut down near Miltenberg. He defended himself like a lion, fighting for his freedom.
GOETZ. God be thanked! He was the best youth under the sun and brave. - Let my soul be released now. - Poor wife. I leave you behind in a corrupted world. Lerse, do not forsake her. - Close your hearts more carefully then your doors. The time of betrayal is coming, it will have free rein. The worthless ones will rule with deceit, and the noble man will fall into their nets. Maria, God give you back your Husband once again! May he not fall so low as he has now climbed high! Selblitz died, and the dear Emperor, and my Georg.- Give me a drink of water! - Freedom! Freedom! (He dies.)
ELISABETH. Only on high, on high with you. The world is a prison.
MARIA. Noble man! Noble man! Woe to the century that spurned you!

Goethe escribió el drama „Götz von Berlichingen mit der eisernen Hand" en 1772. En él representaba el destino de un viejo espadachín en la época de las guerras campesinas (siglo XVI). Götz fracasa en su lucha por los débiles contra los señores, una advertencia del poeta a su propria época.

He aquí la escena final con Elisabeth, esposa de Götz, María, su hermana, y Lerse, su amigo.

GOETZ: ¡Dios omnipotente! ¡Qué bien se siente uno bajo tus cielos! ¡Qué libre! ¡Los árboles echan brotes y el mundo todo está lleno de esperanza! ¡Adiós, amigos míos; cortadas de cuajo tengo mis raíces, y mis fuerzas se inclinan hacia el sepulcro!
ISABEL: ¿Queréis que mande a Lerse al convento por tu hijo, para que puedas verlo una vez más y darle tu bendición?
GOETZ: Déjalo, mujer, que él es más santo que yo y no ha menester de mis bendiciones... ¡Oh, si pudiera ver aquí todavía a Jorge y calentar mi alma en sus ojos!... ¡Posáis la vista en tierra y lloráis!... Sí: murió... ¡Murió Jorge!... ¡Muere tú, Goetz!... Te has sobrevivido a ti mismo, has sobrevivido a los hidalgos... ¿Cómo murió?... ¡Ah! ¡Lo cogieron prisionero con esos incendiarios y lo ajusticiaron!...
ISABEL: No, murió peleando en Miltenberg. Defendióse como un león, luchando por su libertad.
GOETZ: ¡Loado sea Dios!... ¡Era el mejor y más bravo mozo bajo la capa del cielo!... ¡Llévate ahora ya mi alma, Señor!... ¡Pobre Isabel! En mundo bien ruin le dejo; Lerse, no la abandones!... Cerrad vuestros pechos con más esmero todavía que vuestras puertas. Vienen los tiempos del engaño, que ahora tiene rienda suelta. Los villanos reinarán de ahora en adelante, valiéndose de la astucia, y el hombre noble caerá en sus redes. ¡María quiera Dios devolverte a tu esposo! ¡Ojalá y no caiga tan hondo como alto subió! ¡Murió Selbitz, murió el buen emperador, murió mi Jorge!... ¡Dadme un sorbo de agua!... ¡Oh brisa del cielo!... ¡Libertad! ¡Libertad! (Muere.)
ISABEL: ¡Sí, vuela a lo alto, arriba! Este mundo es una cárcel.
MARIA: ¡Hombre noble! ¡Alma hidalga! ¡Ay de este siglo, que sí te apartó!

Goethe écrivit la pièce "Goetz von Berlichingen mit der eisernen Hand" en 1772. Il évoque le destin d'un vieux grognard durant la Guerre des Paysans au XVIème siècle. Goetz échoue dans son engagement pour la cause des faibles face aux puissants. Ceci est une mise en garde du poète.

Voici la scène finale avec Elisabeth, la femme de Goetz, Maria, sa soeur et Lerse, son ami:

GÖTZ. Dieu tout puissant! Comme on est bien sous ton ciel! Comme on est libre! Les arbres éclatent en bourgeons, et le monde entier espère. Adieu, mes chers, mes racines sont coupées, ma force s'incline vers la tombe.
ELISABETH. Puis-je envoyer Lerse au couvent chercher ton fils pour que tu le voies une dernière fois et le bénisses?
GÖTZ. Laisse-le, il est plus saint que moi, il n'a pas besoin de ma bénédiction. Ah! si je pouvais revoir Georges et me réchauffer à son regard!... Vous baissez les yeux et vous pleurez... il est mort... Georges est mort... Meurs, Götz... tu t'es survécu, tu as survécu aux braves... Comment est-il mort?... Ils l'ont pris avec les incendiaires et l'ont exécuté?
ELISABETH. Non, il a été tué à Miltenberg, il a défendu sa liberté comme un lion.
GÖTZ. Dieu merci... C'était le meilleur garçon qui fût sous le soleil, et quel courage!... Délivre maintenant mon âme... Pauvre femme, je te laisse dans un monde corrompu. Lerse, ne l'abandonne pas... Fermez vos cœurs plus soigneusement que vos portes. Voici venir les temps de l'imposture et toute liberté lui est laissée. Les scélérats régneront par la ruse, et l'homme généreux tombera dans leurs filets. Marie, que Dieu te rende ton mari! Puisse-t-il ne pas tomber aussi bas qu'il est monté haut! Selbitz est mort et le brave empereur et mon Georges... Donnez-moi une gorgée d'eau!... Air céleste!... Liberté! Liberté! (Il meurt.)
ELISABETH. Là-haut seulement, là-haut chez toi. Le monde est une prison.
MARIE. Noble cœur! Noble cœur! Malheur au siècle qui t'a repoussé.

Ein Stück aus dem Briefroman „Die Leiden des jungen Werther", erschienen 1774. Der in unerfüllbarer Liebe zu Lotte, der Verlobten seines Freundes Albert, verstrickte Werther schreibt über die Macht, die diese Liebe über ihn gewonnen hat. Alles treibt auf die Katastrophe zu. Bald wird Werther nur noch einen Ausweg sehen: den in den Freitod:

An extract from the epistolary novel „Die Leiden des jungen Werther", published in 1774. Entangled in an impossible love for Lotte, the fiancee of his friend Albert, Werther writes of the power which love has over him. Everthing is heading for disaster. Soon Werther can see only one way out : suicide.

Am 4. Dezember

Ich bitte dich - Siehst du, mit mir ist's aus, ich trag' es nicht länger! Heute saß ich bei ihr - saß, sie spielte auf ihrem Klavier, mannigfaltige Melodien, und all den Ausdruck! all! - all! - Was willst du? - Ihr Schwesterchen putzte ihre Puppe auf meinem Knie. Mir kamen die Tränen in die Augen. Ich neigte mich, und ihr Trauring fiel mir ins Gesicht, meine Tränen flossen - Und auf einmal fiel sie in die alte, himmelsüße Melodie ein, so auf einmal, und mir durch die Seele gehn ein Trostgefühl und eine Erinnerung des Vergangenen, der Zeiten, da ich das Lied gehört, der düstern Zwischenräume des Verdrusses, der fehlgeschlagenen Hoffnungen, und dann - Ich ging in der Stube auf und nieder, mein Herz erstickte unter dem Zudringen. - „Um Gottes willen," sagte ich, mit einem heftigen Ausbruch hin gegen sie fahrend, „um Gottes willen, hören Sie auf!" Sie hielt und sah mich starr an. „Werther," sagte sie mit einem Lächeln, das mir durch die Seele ging, „Werther, Sie sind sehr krank, Ihre Lieblingsgerichte widerstehen Ihnen. Gehen Sie! Ich bitte Sie, beruhigen Sie sich." - Ich riss mich von ihr weg und - Gott! du siehst mein Elend und wirst es enden.

4 december

I beg you - it is all over with me, Wilhelm, I cannot stand it any longer! Today I was sitting with her - I sat there, and she was playing the piano, various melodies, and all of it so expressive ! All of It! - All! - Wilhelm! - Her little sister was dressing her doll on my knee. The tears came to my eyes. I bent forward, and my eye was caught by her wedding ring, and the tears flowed - And all of a sudden she began to play that old tune, so full of divine sweetness, quite suddenly, and my soul was filled with a sense of solace, and with memories of past times when I heard that air and of the dejected gloom and disappointed hopes since those times, and - I paced to And fro in the parlour, my heart smothering in it's affliction. -- „For God's sake", I said fiercely, stepping towards her, „stop it, for God's sake!"-- She stopped playing, and stared at me. "Werther," she said, with a smile that pierced my soul, „you are ill, Werther, very ill : you cannot stomach your favourite dishes. Go, I implore you, and calm down". - I tore myselfe away and - dear God! Thou seest my misery and will make an end of it.

Un fragmento de la novela epistolar „Die Leiden des jungen Werther", publicada en 1774. Werther, atrapado en amor imposible por Lotte, prometida de su amigo Albert, escribe sobre el poder que este amor ha alcanzado sobre él. Todo se dirige hacia la catástrofe. Muy pronto, Werther verá ya solo una salida: la del suicidio.

Un extrait du roman épistolaire „Die Leiden des jungen Werther" paru en 1774. Sous l'emprise d'un amour impossible avec Lotte, la fiancée de son ami Albert, Werther décrit la force de sa passion. Le drame semble inévitable et bientôt Werther ne va voir qu'une seule issue : le suicide.

4 de diciembre

Te lo suplico. Mira, ¡ya no tengo remedio!, ¡no lo soporto más! Hoy estaba sentado a su lado... sentado mientras ella tocaba al piano diversas melodías, y ¡con qué expresión , ¡con una expresión!, ¡con toda! ¿Qué quieres? Su hermanita jugaba con la muñeca sobre mis rodillas. Las lágrimas asomaron a mis ojos. Me incliné y su alianza me saltó a la vista. Las lágrimas fluyeron y de pronto comenzó a tocar aquella vieja, dulce y celestial melodia, y de repente una sensación de consuelo inundó mi alma y recuerdo del pasado, de los tiempos aquellos en que escuchaba esta canción, de aquellos sombríos intermedios de aflicción y de las esperanzas fallidas, y entonces ... Comencé a pasear por la habitación de acá para allá y el corazón se me ahogaba. - „Por el amor de Dios - exclamé bruscamente, dirigiéndome a ella -. ¡Por el amor de Dios basta ya!" - Dejó de tocar y me miró fijamente. - „Werther - dijo con una sonrisa que me atravesó el alma -, Werther, estáis muy enfermo, vuestros platos favoritos os desagradan. ¡Iros! Os lo suplico, tranquilizaos." - Me alejé de ella y ... ¡Dios! tú ves miseria y sabrás ponerle fin.

Le 4 décembre

Je t'en prie... Vois-tu, c'est en fait de moi, je ne supporterai pas cette vie plus longtemps! Aujourd'hui j'étais chez elle..., assis près d'elle, elle à son clavecin, jouant diverses mélodies, avec une expression!... une expression!... Que te dire?... Sa petite sœur, sur mes genoux, habillait sa poupée. Les larme me vinrent aux yeux. Je baissai la tête, son anneau de mariage frappa mes regards... mes pleurs coulèrent... Et tout à coup elle attaqua sa vieille mélodie, d'une céleste douceur, comme cela, tout à coup, et par mon âme passa un sentiment de consolation, un souvenir du passé, des moments où j'avais entendu cet air, des sombres intervalles de chagrin, de mes espérances déçues, et puis... Je me mis à aller et venir par la chambre, le cœur étouffant sous cet afflux. „ Pour l'amour de Dieux", dis-je, éclatant et m'avançant brusquement sur elle, „pour l'amour de Dieu, arrêtez!" Elle obéit, mais me regarda, pétrifiée. „ Werther", dit-elle ensuite avec un sourire qui m'alla jusqu'au fond de l'âme, „Werther, vous êtes très malade, vos mets favoris vous répugnent. Allons, je vous en prie, calmez-vous!" Je m'arrachai d'auprès d'elle et... O Dieu, tu vois ma misère, et tu y mettras fin.